Colección LEC

Lecturas de Español son historias interesa....., e información sobre la lengua y la cultura de España. Con ellas pueaes uivertirte y al mismo tiempo aumentar tus conocimientos. Existen seis niveles de lecturas (elemental I y II, intermedio I y II y superior I y II), así que te resultará fácil seleccionar una historia adecuada para ti.

En *Lecturas de Español* encontrarás:
- temas e historias variadas y originales
- notas de cultura y vocabulario
- ejercicios interesantes sobre la gramática y las notas de cada lectura
- la posibilidad de compartir tu lectura con otros estudiantes

NIVEL ELEMENTAL - I

Historia de una distancia

Coordinadores de la colección:
Abel A. Murcia Soriano (Instituto Cervantes. Varsovia)
José Luis Ocasar Ariza (Universidad Complutense de Madrid)

Autor del texto:
Pablo Daniel González-Cremona

Explotación didáctica:
Abel A. Murcia Soriano
José Luis Ocasar Ariza

Ilustraciones:
Raúl Martín Pérez de Ossa
Juan V. Camuñas
Carlos Casado Osuna

Diseño de la colección:
Antonio Arias Manjarín

© Editorial Edinumen
© Pablo Daniel González-Cremona
© Abel A. Murcia Soriano
© José Luis Ocasar Ariza   *Nueva edición: 2006*
I.S.B.N.: 84-89756-38-4
Depósito Legal: M-1832-2001

Editorial Edinumen
José Celestino Mutis, 4 - Madrid (España)
Tlfs.: 91 308 51 42
Fax: 91 319 93 09
E-mail: edinumen@edinumen.es

Imprime: Gráficas Glodami. Coslada (Madrid)

Historia de
una distancia

ANTES DE EMPEZAR A LEER

1. La palabra "distancia", que aparece en el título *Historia de una distancia*, tiene las siguientes definiciones en el *Diccionario del español moderno* de Manuel Seco:

   a. Espacio que hay entre una persona o cosa y otra.
   b. Tiempo que hay entre dos hechos o entre dos personas o cosas.
   c. Diferencia entre dos personas o cosas.
   d. Lejanía.

   ¿Qué significado crees que puede tener aquí la palabra "distancia"? La imagen de la portada te puede ayudar a interpretar la palabra. Marca la respuesta. Al acabar la lectura, comprueba si sigues pensando lo mismo.

2. En la portada puedes ver un mapa de España y una línea que une Madrid y Barcelona. ¿Cuánta distancia piensas que puede haber entre las dos ciudades?

   - 2.532 km
   - 931 km
   - 109 km
   - 631 km

   ¿Y cuántos km² dirías que tiene España?

   - 132.520
   - 504.750
   - 970.021
   - 288.320

   Enlazando con la pregunta n.º 1, elige cuatro palabras de entre las siguientes que tengan relación con la distancia.

   - metro
   - gato
   - lámpara
   - pelo
   - separación
   - espacio
   - techo
   - ventana
   - camino

3. España está dividida en Comunidades Autónomas. Algunas de ellas tienen, junto al español, otra lengua oficial. A continuación aparece una lista con algunas de las lenguas que se hablan en Europa; tienes que separar las que se hablan en España y situarlas después en el mapa en la Comunidad en la que se hablan.

• portugués	• albanés	• gallego	• gaélico
• francés	• polaco	• inglés	• esloveno
• italiano	• finlandés	• griego	• serbio
• catalán	• sueco	• rumano	• croata
• alemán	• noruego	• ruso	• danés
• neerlandeés	• checo	• ucraniano	• lituano
• vasco	• búlgaro	• esloveno	• estonio

4. Hay muchos países en los que funcionan ciertos tópicos sobre la gente de distintas zonas; en ocasiones se trata de pueblos distintos con lenguas y culturas diferentes. ¿Crees que esas diferencias culturales, lingüísticas, socioculturales, etc. pueden llegar a imposibilitar la convivencia de dos personas? Coméntalo con tus compañeros.

I

Miércoles 13 de septiembre.

Son las 10:20. Es un día soleado, pero todavía no hace demasiado calor, y la brisa marina ayuda a refrescar la atmósfera.

Hoy, como de costumbre, Juan José, o simplemente Juanjo —como lo llaman los amigos—, hace su hora diaria de deporte. A él le gustan varios deportes, el tenis, la natación, el windsurf, la vela..., pero, sobre todo, le encanta correr: eso le ayuda a relajarse, a distraerse y a combatir el estrés acumulado durante horas en su **bufete** de abogado de Barcelona. Pero Juanjo no vive en la capital catalana, sino en El Masnou, un antiguo pueblo de pescadores situado unos 15 km al norte de la **Ciudad Condal**, en dirección a la Costa Brava.

Ahora, precisamente, corre en dirección contraria, es decir, hacia el sur, hacia Barcelona: su destino es Montgat, otro pueblecito de la costa mediterránea. Es un viaje de ida y vuelta, de unos ocho kilómetros, a lo largo del paseo marítimo, entre la playa y la vía del **tren de cercanías**.

bufete: despacho de abogado.

Ciudad Condal: Barcelona.

tren de cercanías: el que une poblaciones cercanas entre sí.

adelantar: pasar delante de otro.
se pica: (expresión coloquial) se enfada.

despido: acción de echar a alguien de su empleo.
quiebra: suspensión de la actividad de una empresa por su ruina.
suspensión de pagos: situación de una empresa que no puede pagar a sus acreedores.
paro: situación de los obreros sin trabajo.
hacerse un nombre: conseguir cierta fama.

oposiciones: exámenes oficiales para ser funcionario.

Juanjo es un corredor de fondo, que va a su ritmo, a una velocidad regular, sin prisas, sin forzar mucho la marcha, sin cansarse inútilmente (sólo cuando lo **adelanta** otro corredor **se pica**, se siente herido en su orgullo, y entonces fuerza la marcha para intentar alcanzarlo). Porque, para él, correr es un placer, no una competición.

El trabajo es otra cosa: ahí sí que hay que competir duramente para ganar, para obtener éxito en los casos difíciles y adquirir así prestigio profesional. Y Juanjo es un buen abogado: su bufete, situado en la céntrica calle Balmes, junto a la Diagonal, es uno de los más prestigiosos de Barcelona. A él acuden, sobre todo, clientes con conflictos laborales o mercantiles (por **despido**, **quiebra** o **suspensión de pagos**). Otros temas civiles o penales no son de su especialidad, y cuando llegan al despacho casos de accidentes de tráfico, robos, divorcios, separaciones o muertes violentas, se los pasa a otros colegas de su confianza.

Hay muchos, muchísimos abogados en España, y muchos de ellos llevan años en el **paro**. Y es que, en esta profesión, lo más difícil es situarse, **hacerse un nombre**. Al principio, cuando uno acaba la carrera de Derecho, no puede rechazar ninguna oferta. Juanjo recuerda, con nostalgia, sus veinticuatro años, allá por el 89 (ahora tiene treinta y cinco), con la universidad recién acabada y un futuro incierto, preguntándose −como la mayoría de sus compañeros de estudios− *y ahora qué hago: ¿ejerzo de abogado, preparo **oposiciones** a notario, a juez o a fiscal?* Y opta por lo primero: abrirse camino en el competitivo mundo de la abogacía.

En los primeros tiempos las ofertas son modestas, pero le sirven para acumular experiencia, para apren-

chorizos: (expresión coloquial) ladrones que roban cosas de poca importancia.
de poca monta: de poca importancia.
sobre ruedas: muy bien.
la canción: se trata de un conocido bolero.

flojo: aquí, irónico; débil, con pocas fuerzas.

tirar la toalla: (modismo) abandonar un asunto cuando se presenta una dificultad.

de antemano: antes de comenzar.

apa, noi, que arribem tard!: ¡venga, chico, que llegamos tarde! (en catalán).

chico: muchacho, joven.

der la profesión. Así, Juanjo ejerce un par de años como abogado de oficio, para defender a **chorizos** y a ladrones **de poca monta** que no tienen dinero para pagar los servicios de un abogado defensor. *¡Qué tiempos aquellos!: duros, pero felices; llenos de proyectos e ilusiones. Y ahora, el éxito; las cosas me van muy bien, todo marcha **sobre ruedas** y la vida me sonríe: tengo salud, dinero y amor, y con estas tres cosas —como dice **la canción**— uno puede darle gracias a Dios.*

*¡Venga, **flojo**, ánimo, que ya llegas a la estación de Montgat: apenas faltan doscientos metros, y luego el regreso a El Masnou!* El corredor de fondo basa todo su éxito en este recurso: la voluntad. Cuando las piernas están cansadas, cuando llegan la fatiga y la sed, y el calor resulta insoportable, el corredor sólo cuenta con ese recurso para no abandonar, para no **tirar la toalla**, para llegar a la meta.

Juanjo, en su trabajo, también es un corredor de fondo: ¡cuántos casos están perdidos **de antemano** y únicamente una voluntad de hierro consigue llevarlos a buen fin! El abogado vago o perezoso no llega muy lejos.

– **Apa, noi, que arribem tard!** –le grita, en catalán, un corredor que se cruza con él. El hombre tiene unos sesenta años y está en plena forma física.

Juanjo le contesta con un saludo. Es lo habitual: los corredores intercambian saludos al cruzarse, en un gesto de solidaridad gremial o de grupo.

Y por fin, el regreso a casa, el esfuerzo final; luego, una buena ducha y el merecido descanso. *Chico, tienes que aprovechar al máximo tus últimos días de vacaciones. Porque el lunes 18, vuelta al trabajo. Esto de las vacaciones*

¡Venga, chico, que llegamos tarde! –le grita un corredor que se cruza con él.

quincena: período de quince días.

partidas —la primera **quincena** de agosto y la primera de septiembre— no es una buena idea. El próximo año me cojo un mes entero.

* * * * *

10:45. Sol y calor. María Teresa —mejor, Tere— y dos compañeros de trabajo, Almudena y Gonzalo, desayunan en la terraza de una cafetería, en la madrileña calle de Sáinz de Baranda, a pocos metros del **Retiro**. Los lunes y los miércoles sus horarios de trabajo coinciden y suelen desayunar juntos.

Retiro: famoso parque de Madrid.

– Tere, mujer, ¿qué pasa, que **no abres la boca**?

no abres la boca: no hablas.
cara de lunes: expresión que indica estar de mal humor.

– Y tienes una **cara de lunes**... –añade Gonzalo.

– Aunque estamos a miércoles.

– Lo siento, chicos. Ya sé que está completamente prohibido hablar del trabajo durante desayunos y comidas, pero...

Almudena la interrumpe:

– Ya. Estás preocupada por la chica anoréxica...

– Pues sí. Lleva veinte días hospitalizada, y nada. Apenas come. Sigue obsesionada con que está gorda y tiene que adelgazar. Su madre, que está con ella noche y día, no para de llorar y de decir: *Mi hija se me muere, se me muere.*

¡menudo, -a! es una expresión enfática, equivalente a ¡qué...!: aquí significa ¡qué drama!

– **¡Menudo cuadro!**

– Y lo peor es que tiene razón: la chica se puede morir.

Gonzalo, más pragmático, pregunta:

– ¿Y la medicación?

– Por el momento, no hay respuesta positiva.

– Ten un poco de paciencia. Seguro que, dentro de unos días, experimenta una mejoría.

– No sé, no sé...

– Y alegra la cara, mujer. De lo contrario, tus pacientes se van a deprimir todavía más.

– **Vale, vale...** Por cierto, hoy me toca pagar a mí.

– **Ni hablar**, hoy pago yo. A ver si así os animáis un poco las dos, que estamos a mitad de semana.

– **Nada de eso**. Yo tengo **guardia** el sábado –dice Almudena.

– Y yo, el domingo –añade Tere.

Gonzalo le hace una **seña** al camarero, que, en seguida, llega con la cuenta. Poco después, los tres se dirigen al **Hospital Gregorio Marañón**, donde trabajan.

Tere es médica psiquiatra. Su especialidad no es nada fácil. Es muy duro tratar a pacientes que presentan síntomas de depresión, esquizofrenia, paranoia o anorexia, por citar algunos de los trastornos más corrientes. Hay que ser muy fuerte, psíquicamente, para no **hundirse** cuando un enfermo, desesperado, dice que va a **suicidarse** o cuando una adolescente se deja morir por **no probar bocado**. Entonces, el **facultativo** se hace la inevitable pregunta: ¿qué sentido tiene continuar en esta profesión? Todos los médicos —no solo los psiquiatras— pasan por momentos dramáticos a lo largo de su carrera. Pero también es verdad que los éxitos **compensan** los fracasos, y Tere, al igual que sus colegas, se llena de alegría cuando un paciente le confiesa: *Doctora, gracias a usted, estoy curado. Míreme, ¿a que soy otra persona? Si todos me lo dicen: mi mujer, mis hijos, mis amigos...* En

---

vale: expresión de conformidad o acuerdo.
ni hablar: negación terminante.
nada de eso: negación expresada con energía.
guardia: en algunas profesiones, servicio fuera del horario obligatorio.
seña: gesto para llamar la atención de alguien.
Hospital Gregorio Marañón: importante hospital situado cerca del Retiro.

hundirse: deprimirse.
suicidarse: quitarse la vida.
no probar bocado: no comer nada.
facultativo: médico.

compensan: neutralizan.

esos momentos, la medicina es la mejor profesión del mundo, ninguna otra se le puede comparar.

A sus casi veintinueve años, Tere sabe que nunca va a ser rica ni, probablemente, famosa. Sí que le preocupa situarse bien en su profesión, es decir, adquirir prestigio en su especialidad, y, con el tiempo —quién sabe—, abrir su propia consulta, **compatibilizando** el ejercicio de la medicina privada con su actual trabajo en el hospital de la **Seguridad Social**.

Esto no es una utopía, pero supone un sacrificio: no sólo dedicar muchas horas a los pacientes, hacer guardias y limitar mucho las salidas con los amigos, sino también pasar la mayor parte del tiempo libre con investigaciones; por eso, Tere está preparando su tesis doctoral, cuyo tema es, por supuesto, la anorexia en los adolescentes. Trabaja con su ordenador portátil en la biblioteca del hospital y, de vez en cuando, utiliza el correo electrónico para mantener correspondencia con un chico de Barcelona.

* * * * *

12:15. Juanjo está frente a la pantalla de su ordenador. Ahora dirige el ratón al programa del **correo electrónico**; pulsa dos veces el ratón y tiene acceso a la correspondencia. Hay cinco correos, cuatro de sus clientes y uno que le hace una ilusión especial. Desde luego, se reserva el último para leerlo al final.

Es verdad que un abogado tiene que estar a disposición de su cliente las veinticuatro horas del día, incluso durante las vacaciones... Pero a Juanjo le fasti-

compatibilizar: hacer compatibles dos o más cosas.
Seguridad Social: organismo del Estado. Asegura la asistencia sanitaria a todos los españoles, concede pensiones a los jubilados y ayudas a las personas en paro.

correo electrónico: equivalente español de e-mail.

dian esos clientes molestos e inoportunos, que dejan continuamente recados en su domicilio particular, con cualquier excusa y sin ninguna urgencia: *Antes, con el fax y el contestador automático; ahora, con el correo electrónico.* **Menos mal** *que tengo desconectado el móvil, porque esta gente aprovecha todos los recursos de la técnica.*

menos mal: equivalente a "por suerte" o "afortunadamente".

Lee el primer correo:

Estimado Sr. López Garriga:

vista: comparecencia de las dos partes ante el juez.
de lo social: que se ocupa de cuestiones laborales.

Le recuerdo que la **vista** *del caso Ediciones Bellmunt* — "*ah, sí, la suspensión de pagos*", *piensa Juanjo*— *es el martes 26, a las 12:30, en el juzgado n.º 7* **de lo social.**

Un saludo.

Santiago Virués.

El número 7, qué mala suerte. A Juanjo no le gusta el juez responsable de ese juzgado, un tipo antipático, con el que siempre hay problemas.

Los otros tres correos de sus clientes son por el estilo. Por suerte, queda un quinto, enviado desde Madrid poco más de media hora antes.

Querido Juanjo:

ponencia: informe, comunicación, conferencia.

Acabo de desayunar con Almudena y Gonzalo, y ahora estoy más animada para escribirte. Ya sabes que últimamente estoy preocupada por una paciente, pero no quiero hablarte de cosas tristes. Tengo una buena noticia: la semana próxima hay un congreso sobre la anorexia en el Hospital Germans Trias i Pujol de Badalona. Yo tengo una **ponencia** *el viernes, y puedo quedarme en Barcelona hasta el domingo. ¿Qué te parece la idea?*

echar de menos: sentir dolor o tristeza por la ausencia de un ser querido.

currando: (coloquialmente) trabajando.
sin dar golpe: sin trabajar, haciendo el vago.

loco de contento: muy contento.
a tope: (coloquialmente) al máximo.
el que avisa no es traidor: (refrán) no podemos protestar, si antes nos informan del peligro.
besazo: (coloquial) beso muy grande.

despejarse: espabilarse; recuperar la claridad mental.

sabe fatal: tiene mal sabor.

*Te **echo de menos**.*

Un beso muy fuerte.

T.

*P. D.: Disfruta de tus últimos días de vacaciones. Cómo te envidio: yo aquí **currando** y tú por ahí **sin dar golpe**.*

Por lo menos, ve a la playa y toma el sol por mí.

Juanjo salta de alegría e inmediatamente se dispone a contestar la carta.

*Tere, cariño, estoy **loco de contento**. ¡Qué sorpresa! Ahora mismo me pongo a programarlo todo. Te prometo un fin de semana **a tope**, sin descansar ni un minuto. Así que prepárate, porque vas a acabar agotadísima. **El que avisa no es traidor...***

*Un **besazo**. Yo también te echo de menos.*

J.

P. D.: Dame más detalles de tu viaje: cuándo llegas, dónde te alojas, cuánto dura el congreso, etc.

* * * * *

*17:30. Dos horas seguidas escribiendo, y aún me queda un par de horas, como mínimo. Necesito un café para **despejarme**.* Tere abandona por un momento la biblioteca. Allí mismo, en el pasillo, hay una máquina de bebidas; introduce una moneda de un euro por la ranura y pulsa el botón del café con leche; la máquina le devuelve 20 céntimos. El café **sabe fatal**, pero no tiene tiempo para ir al bar del hospital: para mañana tie-

lista: preparada.

echar una ojeada: mirar, pasar la vista rápidamente sobre algo.

teclea: pulsa las teclas.

Barna: abreviatura de Barcelona; a veces, se usa coloquialmente.
puente aéreo: servicio frecuente de avión entre dos lugares.
Badalona: ciudad industrial situada a 8 km de Barcelona.
clausura: cierre.
por lo visto: al parecer.
La Pedrera: nombre popular de la Casa Milá, famoso edificio barcelonés construido por Gaudí entre 1904 y 1910.

El club Dumas: novela del escritor español Arturo Pérez-Reverte, llevada al cine por Polanski, con el título *La novena puerta.*

ne que estar **lista** la ponencia, y no puede perder ni un minuto. Se acaba el café y regresa a la sala de lectura. De nuevo, está sentada frente a la pantalla del ordenador. ¡Qué tentación **echar una ojeada** al correo electrónico! Sabe que no puede perder tiempo; pero una voz interior le dice: *Bueno, mujer, tampoco hay que exagerar: es cosa de un minuto...*

Pocos segundos después, **teclea** en el ordenador esta carta:

Querido Juanjo:

*Llegamos a **Barna** el jueves 21, muy temprano, en el **puente aéreo**. Pero no tienes que ir a buscarme al aeropuerto, porque los organizadores del congreso nos recogen y nos llevan a **Badalona**. El congreso se inaugura a las 10 de la mañana y la **clausura** es el sábado, con una comida; o sea que, a partir de ese momento, estoy a tu entera disposición. Nos alojamos en el Alexandra, que, **por lo visto**, está muy cerca de **La Pedrera**.*

Un beso.

T.

* * * * *

23:15. Acostada en la cama, antes de dormirse, Teresa intenta leer unas cuantas páginas de una novela bastante entretenida, ***El club Dumas***. Pero le resulta imposible concentrarse en la lectura, está excitadísima pensando en su próximo viaje a Barcelona.

La cabeza le da vueltas, y recuerda su primer encuentro con Juanjo, hace poco menos de un año −a finales de octubre−, en la boda de Isabel, una amiga ín-

banquete nupcial: comida de bodas.

charlar: conversar, hablar sobre temas intrascendentes.

tima, y Carlos, pariente lejano de Juanjo. Recuerda cómo en el **banquete nupcial** se sienta junto a Juanjo, en la misma mesa. Hay seis personas: dos parejas y ellos dos, así que, espontáneamente, empiezan a **charlar**.

Las presentaciones son innecesarias, porque en la mesa, frente a cada asiento, hay una tarjeta con el nombre de los invitados:

> *M.ª Teresa*
> *Hernández Sotomayor*

> *Juan José*
> *López Garriga*

eso no es lo peor: recuerda un tópico según el cual hay mucha gente en el resto de España que tiene manía a los catalanes.

ocurrencia: expresión con gracia o ingenio.

torre: en Cataluña, chalé.

Sitges: ciudad costera y turística, situada unos 40 km. al sur de Barcelona.

antibarcelonista: no simpatizante de Barcelona.

Soria: ciudad y capital de provincia perteneciente a la Comunidad Autónoma de Castilla-León.

– Llámame Juanjo.

– Y a mí, Tere. ¿A qué te dedicas, Juanjo?

– Soy abogado, pero **eso no es lo peor**: soy de Barcelona... –*me dice muy serio.*

*Me río de la **ocurrencia** y le digo:*

– Pues a mí me encanta Barcelona y voy siempre que puedo. Además, unos tíos míos tienen un chalé...

– Una **torre**.

– Eso, una torre en **Sitges** y todos los veranos paso un par de semanas allí.

– Estupendo, o sea, que eres de Madrid pero no **antibarcelonista**.

– Para nada. Aunque, en realidad, no soy una madrileña típica: mi familia es de **Soria**.

– Ah. Y tú, Tere, ¿a qué te dedicas?

Cuando me dispongo a decírselo, Juanjo me interrumpe con un gesto.

tomar el pelo: reírse o burlarse de alguien.

ejecutiva: mujer que desempeña una labor de dirección o gestión en una empresa.

frío, frío: forma utilizada en un juego en el que hay que adivinar cierta información dirigido sólo por las palabras "caliente", "templado", "frío", según uno se acerca o aleja de la solución.

está chupado: (coloquial) es muy fácil.

pista: indicación, indicio, señal.

– Un momento. A ver... Déjame adivinar. Tienes cara de buena persona...

– Me estás **tomando el pelo**.

– Que no, mujer. Estoy seguro de que no eres una **ejecutiva** agresiva ni nada por el estilo; que estás contenta con tu trabajo; que eres una chica estudiosa.

– Vas bien.

– A ver, a ver... ¿Maestra, profesora?

– **Frío, frío** *–contesto con una sonrisa.*

– ¿Química, bióloga? Trabajas en un laboratorio.

– Templado.

– ¿Farmacéutica?

– Caliente.

– Ya lo tengo: eres médica.

– ¡Correcto! Ahora tienes que adivinar mi especialidad.

– ¡Eso **está chupado**! ¿Médico de familia?

– No.

– ¿Traumatología, ginecología, aparato digestivo?

– Tampoco.

– Dame alguna **pista**. ¿Cómo son tus pacientes? ¿Qué síntomas tienen?

– Son gente con trastornos...

– ...mentales. Eres psiquiatra.

– Sí.

atrevimiento: desca-
ro, desfachatez, fres-
cura.

*Entonces, me dice, con cierto **atrevimiento**:*

– Pues, francamente, eres muy guapa para ser psiquiatra.

me pongo roja: por
timidez o vergüenza.
piropo: galantería
dirigida a una mujer,
sobre todo, para ala-
bar su atractivo físi-
co, su belleza.

*Yo **me pongo roja** y le digo:*

– Gracias por el **piropo**. Pero, dime, ¿cómo te imaginas a los psiquiatras?

– Con barba y gafas gruesas, parecidos a Freud.

– Pues yo debo de ser la excepción que confirma la
regla –*digo riendo*.

desde luego: por su-
puesto, naturalmen-
te.

– **Desde luego**.

Y, después de beber un sorbo de vino tinto, añade:

te toca a ti: es tu turno.

– Venga, ahora **te toca a ti** hacer el diagnóstico de
mi personalidad.

– Huy, huy, huy. Me lo pones muy difícil. Pero puedo intentarlo. Vamos a ver: yo **juego con ventaja**, porque sé que eres abogado.

juego con ventaja:
tener superioridad
por alguna razón.

– De veras, puedes hablar con total sinceridad. Igual
que con tus pacientes.

*Yo aún me resisto un poco, para **prolongar** el juego.*

prolongar: hacer
que una cosa dure
más.

– No sé, no sé.

*El pobre Juanjo se acaba de un trago la copa de vi-
no; ya está preparado para oír el diagnóstico fatal.*

– Veamos, eres extrovertido, ambicioso y práctico;
estás bastante seguro de ti mismo. ¿Me equivoco?

– En absoluto. Aciertas en todo. Tú, en cambio, eres
tímida, introvertida, cariñosa; no eres cerrada, pero tienes tu propio mundo interior. ¿A que sí?

- *Gracias por el piropo. Pero dime, ¿cómo te imaginas a los psiquiatras?*

— No está nada mal. Un noventa por ciento de aciertos.

— Y tu signo zodiacal es Piscis.

— ¡Exacto! ¿Y el tuyo?

— Leo.

Yo muevo la cabeza con un gesto de desconfianza.

incompatibles: opuestos, muy diferentes entre sí.

— ¡Humm! Me temo que somos **incompatibles**.

Juanjo se pone triste ante esta afirmación mía. Pero entonces interviene una chica que comparte la mesa con nosotros:

— No es verdad. Mira el caso de los novios: Carlos es Virgo e Isa, Géminis, y se llevan **de maravilla**.

de maravilla: muy bien.

Este comentario tiene un extraordinario efecto terapéutico, porque a Juanjo en seguida se le levanta el ánimo, y dice en voz alta:

— Esta prueba aportada por... *—dirige una mirada a la chica para saber su nombre.*

— ...Nuria.

— Sí, la prueba aportada por Nuria es decisiva. No hay más que hablar. Tere y yo somos compatibles. Y propongo un **brindis** para celebrarlo.

brindis: acción de levantar la copa antes de beber y manifestar un buen deseo a alguien.
veredicto: fallo, sentencia del juez.
boleros: música bailable en compás ternario, de aire popular.
pasodobles: música y baile con ritmo de marcha; es originariamente español, y se toca mucho en fiestas y celebraciones populares.

*Todos los de la mesa nos reímos con el "**veredicto**" de Juanjo y brindamos con él. Poco después, comienza el baile, y él me invita a bailar. Bailamos de todo: salsa, **boleros**, **pasodobles**, rock... Acabamos agotados y felices. Parece que, de verdad, somos compatibles. Al final de la fiesta, cerca de las cuatro de la madrugada, nos despedimos, pero antes intercambiamos nuestros números de teléfono.*

— ¿Quedamos mañana? *—me pregunta Juanjo; y, de*

inmediato, se corrige después de mirar el reloj—. Mejor dicho, hoy.

— Lo siento. Hoy es imposible. Tengo guardia en el hospital desde las seis de la tarde.

— Pues por la mañana, mujer. Damos un paseo por ahí, nos tomamos un aperitivo y comemos.

hecha polvo: muy cansada.

— Es que tengo que descansar un poco; estoy **hecha polvo** con tanto baile, y la guardia dura veinticuatro horas.

darse por vencido: rendirse, abandonar.

*Pero Juanjo insiste, no **se da por vencido**:*

— Venga, mujer, que me voy el lunes para Barcelona y no sé cuándo voy a volver a verte.

— De acuerdo. Pero sólo una hora.

— Vale. Quedamos a las tres para comer.

— No, mejor un poco más tarde, sobre las cuatro, y tomamos un café. Si no te importa, prefiero quedar cerca del hospital, para no ir con prisas.

por cierto: a propósito.

— Muy bien. **Por cierto**, ¿en qué hospital trabajas?

— En el Gregorio Marañón.

— ¿Por dónde queda?

— Cerca del Retiro, del lado que da a Menéndez Pelayo. Si te parece, podemos quedar en la cafetería que está en la esquina de Alcalá con Menéndez Pelayo.

— Vale. Sobre las cuatro.

— Sí.

En efecto, nos volvemos a ver unas cuantas horas después, en la cafetería. El encuentro dura poco; lo suficiente para informarme de que Juanjo vive solo, en El Masnou (sus padres y su única hermana, casada, vi-

ven en Barcelona), y para informarle a él de que yo vivo con mi hermana menor, Sonsoles, estudiante de tercero de Farmacia.

– Mis otros tres hermanos —Jorge, Lucrecia y Silvia— están casados y viven aquí, en Madrid. Lo mismo que mis padres.

Juanjo parece interesado por mí; sin embargo, no quiero **hacerme falsas ilusiones**, porque con los hombres nunca se sabe. Desgraciadamente, por experiencias pasadas soy **desconfiada**. Así, cuando Juanjo promete llamarme pronto, sonrío con escepticismo. Y es que tampoco estoy segura de querer empezar una nueva relación sentimental, más complicada, en este caso, por tratarse de un noviazgo a distancia.

Él me acompaña hasta la entrada del hospital, y nos despedimos con dos besos.

Ese día, yo **relevo** en la guardia a Almudena, que, antes de irse, me pregunta:

– ¿Qué tal la boda?

– **De fábula**, chica.

– Cuenta, cuenta.

Y, claro está, le hablo de Juanjo:

– Es alto, moreno, de ojos verdes... Bastante guapo y muy simpático.

Al comentar que es de Barcelona, Almudena me dice:

– Ya te veo solicitando el **traslado** a Cataluña y haciendo un curso intensivo de **catalán**.

– De eso nada. Yo no me muevo de Madrid.

hacerme falsas ilusiones: concebir planes o proyectos sin base en la realidad; engañarse.
desconfiada: incrédula, escéptica.

relevar: sustituir, ocupar el lugar de otra persona.

de fábula: muy bien.

traslado: cambio de lugar de trabajo.
catalán: lengua cooficial en Cataluña junto al español. En muchas ocasiones es necesario hablarla para obtener trabajo en la Administración Pública.

Pasan varias semanas sin noticias de Juanjo, y ya lo voy olvidando. Pero un buen día suena el teléfono...

– Diga –dice Sonsoles.

– Buenas tardes. ¿Está Tere?

– Sí. ¿De parte de quién?

– De Juanjo.

– En seguida se pone.

está al corriente de todo: sabe, tiene noticia.

*Sonsoles, que **está al corriente de todo**, me grita, muy excitada:*

– ¡Tere, es Juanjo, el de la boda!

Yo tardo unos segundos en coger el auricular, para disimular mi emoción y escuchar los consejos urgentes de mi hermana, que está mucho más nerviosa que yo.

– Tú hazle sufrir un poco y nada de demostrar interés. Y si te habla de quedar, le dices que tienes mucho trabajo... Pero, bueno, si insiste, le dices que...

Sonsoles habla y habla sin parar; mientras tanto, yo cojo el teléfono.

– ¿Sí?

– Hola, Tere, soy Juanjo, el de la boda de Carlos Aguilar; no sé si te acuerdas de mí.

– Hola, Juanjo, claro que me acuerdo. ¿Qué tal estás?

– Bien, gracias. ¿Y tú?

voy tirando: (coloquial) se usa para expresar que uno sigue viviendo, trabajando, etc., de una manera regular.

– **Voy tirando**. Como siempre, con muchísimo trabajo.

– ¿Sabes? Es que pasado mañana, viernes, tengo un juicio en Madrid, y, bueno, digo, voy a saludar a esa chica tan guapa, que baila de maravilla.

– Pues gracias por acordarte de mí.

Ahora, con timidez y miedo a una negativa mía, Juanjo hace su oferta:

– Es que, además, voy a estar hasta el domingo. Y, qué sé yo, se me ocurre que igual podemos vernos y charlar un rato, y de paso te muestro las fotos de la boda...

Yo coqueteo un poco:

– La oferta es **tentadora**. Pero no sé: tengo que **consultar mi agenda**.

– Desde luego, chica, quedar contigo es más difícil que **concertar una audiencia** con el Rey.

– **Anda ya**, **exagerado**, que **pareces andaluz**, más que catalán –*digo riendo*.

– Entonces... el sábado.

– Perfecto. ¿Qué te apetece hacer?

– Francamente, me da igual. Decide tú, que eres la madrileña.

– Pues, chico, no sé. El cine lo tengo muy visto. En cambio, **hace siglos** que no voy al teatro...

– Por mí, encantado. Pero, por favor, nada de obras trascendentales y profundas, que quiero salir del teatro de buen humor. Ya tengo bastante seriedad en el trabajo...

– Totalmente de acuerdo. Un segundo, que consulto la cartelera –*mientras, Sonsoles, diligente, me acerca el periódico.*

– Si quieres, te llamo más tarde y decides con más tranquilidad.

---

tentadora: atractiva.

consultar mi agenda: se usa en sentido irónico, para indicar que tenemos muchas actividades y disponemos de muy poco tiempo.

concertar una audiencia: tener una cita con una persona importante.

anda ya, exagerado: expresión coloquial para indicar incredulidad.

pareces andaluz: en España, circula el tópico de que los andaluces son muy exagerados al hablar.

hace siglos: hace mucho tiempo.

– No hace falta. Ya está. Mira, hay varias comedias: *Frente a frente*, con Pedro Osinaga y Rosa Valenty; *Sé infiel... y no mires con quién*; *Arte*, dirigida por Flotats, que también interviene como actor; *Cyrano de Bergerac*, con Manuel Galiana... Ésta la acaban de estrenar y tiene muy buena crítica...

– Pues ya está decidido. Pero, eso sí, vamos a la función de tarde; así, después nos vamos a cenar y a tomar unas copas.

– De acuerdo. Mira, qué bien, *Cyrano* la ponen en el Teatro Español, que está en la calle del Príncipe, cerca de la **Puerta del Sol**. Y la función de tarde empieza a las siete.

– ¿Te paso a recoger a las seis?

– No es necesario. Quedamos en la entrada del teatro, **entre seis y media y siete menos cuarto**. Ah, y yo me encargo de las entradas.

– Estupendo. Entonces, hasta el sábado.

– Sí. Ah, y mucha suerte en el juicio.

– Gracias. La voy a necesitar, porque es un tema difícil.

– Hasta luego.

– Adiós.

Tere sigue sin poder concentrarse en la lectura de la novela. Por fin, la deja en la **mesilla de noche**, situada a su derecha, junto a la **cabecera** de la cama, y apaga la luz de la lámpara. Intenta dormir, pero tampoco puede. Tiene el pensamiento fijo en esos primeros encuentros con Juanjo, cuando él viaja a Madrid

---

Puerta del Sol: plaza central de Madrid; es el típico punto de encuentro de los jóvenes.

entre seis y media y siete menos cuarto: en España es habitual no quedar a una hora en punto, sino entre dos horas.

mesilla de noche: mesa pequeña que se coloca al lado de la cama.
cabecera: en la cama, extremo donde está la almohada.

aliada: socia, amiga.

calvario: sufrimiento prolongado.

Ernesto Sábato: famoso escritor argentino, nacido en 1911; El túnel (1948), fue su primera novela.
libro de cabecera: el que se consulta con frecuencia.

Vinuesa: pueblo pintoresco de la provincia de Soria, famoso por sus pinares.

por asuntos profesionales. Los viajes son breves —por lo general, no más de dos o tres días–, pero lo suficientemente intensos como para hacer cada vez más sólida la relación sentimental. Por otra parte, los 600 km que separan Madrid de Barcelona apenas representan un obstáculo, superado fácilmente por los medios de comunicación y transporte de hoy día. *La técnica del mundo actual es la mejor **aliada** del amor: las cartas tardan días en llegar a su destino, mientras que el correo electrónico es inmediato.*

Hacia mediados de abril, una vez superado el miedo de Tere a una nueva relación afectiva, ella y Juanjo se convierten en novios.

Juanjo es la antítesis del novio celoso, desconfiado y posesivo, ese novio-policía que te controla durante las 24 horas del día, convirtiendo el noviazgo en un **calvario** de continuos interrogatorios sobre el comportamiento, las salidas, las amistades e incluso los pensamientos. Ese tipo de novio, entre obsesivo y paranoico, tan bien descrito en *El túnel* de **Ernesto Sabato**, esa novela que algunos psiquiatras –entre ellos, Tere– tienen como **libro de cabecera**.

Con motivo de la festividad del 1 de mayo, que cae en lunes, la estancia de Juanjo en Madrid se prolonga más de lo habitual, y los padres de Tere tienen ocasión de conocerlo.

El chico les causa tan buena impresión que deciden invitarlo a pasar unos días en **Vinuesa**, durante las vacaciones de verano. De este pueblo soriano provienen los señores de Hernández, y allí, todos los años, en agosto, se reúne la familia entera: los padres, los hermanos, los cuñados y los sobrinos de Tere. Juanjo pasa con ellos tres días, que le resultan bastante abu-

excusa: pretexto, disculpa.

saber ganarse a la gente: conquistar la simpatía de los demás.

una joya: persona de grandes cualidades.

melena: pelo largo.

Dani: familiarmente, Daniel.
¡menudo elemento!: expresión que sirve para descalificar o criticar a un individuo.
sacar adelante: hacer progresar.
sin ir más lejos: se utiliza para ejemplificar con algo próximo, sin tener que recurrir a ejemplos lejanos.

rridos y por eso pone una **excusa** para regresar a El Masnou y dedicarse a la práctica de los deportes náuticos, una de sus grandes pasiones.

Sin embargo, la impresión que causa en la familia de Tere es magnífica, porque **sabe ganarse a la gente** y disimular su aburrimiento. La madre, sobre todo, está encantada con él y le dice a todo el mundo: *El novio de mi hija es **una joya**: tan guapo, tan simpático, tan educado.* El padre, por su parte, valora, en especial, el carácter emprendedor del muchacho, su éxito profesional y su buena posición económica.

– ¡Sí, señor! Es de los que a mí me gustan: un triunfador nato. ¡Qué diferencia con aquel otro novio tuyo, el de la **melena** y la guitarra...!

– ¡Papá, que de eso hace muchísimo tiempo!

– ¡No hace tanto, no hace tanto! —*y continúa hablando de **Dani**, a quien Tere no ve desde hace siete u ocho años*—. **¡Menudo elemento!** ¡Con mucha música y mucha tontería encima! ¡...Y con canciones y frases bonitas no se come ni se **saca adelante** una familia! Mírame a mí, **sin ir más lejos**, trabajando sin parar desde los quince años, y ahora, pues eso, tengo una posición y tengo un nombre, y cuando la gente quiere comprar o alquilar una vivienda, ¿adónde acude, eh, a quién...?

Y, con el aburrimiento y la apatía del que oye continuamente la misma canción, Sonsoles, o cualquiera de los otros hermanos, o la misma Tere, dicen:

– A la Inmobiliaria Hernández, papá. Nos lo sabemos de memoria.

PÁRATE UN MOMENTO

1. Ya han aparecido algunos personajes en la historia. Aquí tienes una tabla en la que debes colocar a los distintos personajes y aquellas características que consideres relevantes. Al acabar la lectura vuelve a mirar la tabla y comprueba tus expectativas.

Personajes	¿Quién es?	¿Qué hace?	¿Cómo es?	¿Qué crees que pasa con él?

2. Ha acabado el miércoles 20 de septiembre y, antes de irse a dormir, Tere apunta en un papel todas las cosas que cree que le van a pasar en Barcelona. Es difícil imaginar qué puede haber en ese papel, pero, ¿qué crees que uno suele esperar de un viaje de trabajo? Apunta en esta hoja las expectativas que crees que se pueden tener.

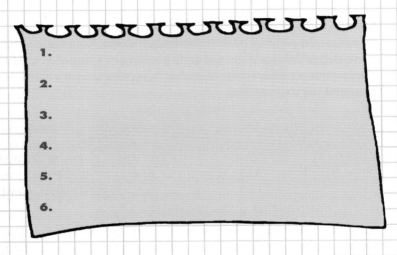

1.

2.

3.

4.

5.

6.

3. *Juanjo es la antítesis del novio celoso, desconfiado y posesivo, ese novio-policía que te controla durante las 24 horas del día, convirtiendo el noviazgo en un calvario de continuos interrogatorios sobre el comportamiento, las salidas, las amistades e incluso los pensamientos.*

¿Cuáles crees que son las características del novio perfecto? ¿Por qué? Coméntalo con tu compañero. ¿Tú también crees, por lo que se dice en la historia, que Juanjo es el novio perfecto? ¿Hay algo que no te guste en él? Coméntalo con tus compañeros.

II

Jueves 21 de septiembre.

8.45. Tere y Gonzalo llegan al aeropuerto de **El Prat**. Allí los esperan dos jóvenes doctores; ambos con un marcado acento catalán puesto en evidencia ya desde las presentaciones:

– Éste es **Joan Pagès**, del **Vall d'Hebron**. Y yo soy Lluís Codina o Luis, si os resulta más fácil, del hospital organizador. Por cierto, ¿qué tal el viaje?

– Muy bien, gracias. Ésta es Teresa Hernández y yo, Gonzalo Montoro.

– Encantada –dice Tere, y mientras estrecha la mano de sus colegas catalanes, **apenas** puede reprimir la risa al ver que el doctor Pagès se corresponde a la perfección con la imagen tópica del psiquiatra, tal como lo imagina Juanjo.

– La verdad es que no disponemos de mucho tiempo –dice Lluís–. Ya **sabéis** que la inauguración es a las 10, y todavía tenemos media hora larga hasta Can Ruti.

Tere y Gonzalo lo miran sorprendidos. Lluís se da cuenta y aclara, sonriendo:

El Prat: aeropuerto de Barcelona.
ambos: los dos.

Joan Pagès: los nombres están en catalán, lengua en la que también existe el acento.
Vall d'Hebron: importante centro hospitalario de Barcelona. En castellano, Valle de Hebrón.

apenas: casi no.

sabéis: en España, el tuteo es práctica corriente entre las personas de una misma profesión.

alarma: susto, preocupación, inquietud.

al unísono: a la vez, al mismo tiempo.
aliviados: tranquilizados.

copiloto: el que se sienta al lado del conductor.

a sus anchas: muy cómodo.
anfitrión: persona que tiene invitados a su casa.
habla por los codos: habla mucho.
con soltura: con facilidad.
pesado: molesto, inoportuno.

B-2: la autopista B-2.
120 km por hora: límite de velocidad máxima en las autopistas españolas.

¡qué va!: negación.
guardia civil: cuerpo de seguridad militarizado.
multa: sanción económica.
amenazar: avisar de la intención de causar un daño.

– No hay motivo de **alarma**. Can Ruti es el nombre con que se conoce popularmente el Hospital Germans Trias i Pujol.

– ¡Ah! –exclaman al **unísono** Tere y Gonzalo, al tiempo que sonríen, **aliviados**.

Acto seguido, los cuatro se dirigen al aparcamiento del aeropuerto, para recoger el coche de Joan y emprender el camino hacia Badalona. Gonzalo ocupa el asiento del **copiloto**; Tere y Lluís se sientan detrás. El coche, cómodo y espacioso, permite estirar las piernas y descansar a los madrugadores pasajeros del puente aéreo.

Por lo que respecta a los colegas catalanes, Joan parece más bien tímido y callado, mientras que Lluís se siente **a sus anchas** en el papel de **anfitrión**, y **habla por los codos**, **con soltura** y simpatía, sin hacerse **pesado**. Los dos, por cortesía hacia los madrileños, suspenden la conversación en catalán, idioma que a Tere le resulta familiar, a causa de sus frecuentes veraneos en Sitges.

– La mayoría de los congresistas son de aquí. Pero va a venir gente de casi toda España. En total somos más de cien.

Hasta la salida de Can Ruti, el coche va por la **B-2**, sin pasar de los **120 km por hora**.

– ¡Qué tranquilo conduces! Da gusto –comenta Gonzalo–. En Madrid, la gente conduce como loca.

– **¡Qué va!** Si a mí me encanta correr... Lo que pasa es que a esta hora hay muchos controles de la **guardia civil** y estoy harto de pagar **multas** de tráfico.

– Y su mujer le **amenaza** con el divorcio, si le ponen una multa más –dice Lluís.

El coche va por la autopista, sin rebasar los 120 km por hora.

dedo anular de la mano izquierda: el anillo de casado se lleva en Cataluña en la mano izquierda, y en el resto de España, en la derecha.

autopista: carretera con los dos sentidos de la circulación separados con dos o más carriles.

carretera: vía destinada a la circulación de vehículos.

pinares: lugar poblado de pinos.

estresados: tensos y agotados por mucho trabajo.

¡cierto!: fórmula de aprobación o asentimiento.

¡y que lo digas!: indica que estamos de acuerdo con lo dicho por otra persona.

en menos que canta un gallo: (modismo) rápidamente.

– Por eso tú aún sigues soltero –señala Joan–. Así puedes pagar las multas y no tienes que soportar las amenazas de nadie.

Todos ríen la broma. Entonces, Tere se da cuenta de que Joan lleva un anillo de casado en el **dedo anular de la mano izquierda**, a diferencia de Lluís, que no lleva ninguno.

Al llegar a la salida de Can Ruti, el coche abandona la **autopista** y sigue por **carretera**, hacia el interior, hacia la montaña, en dirección opuesta al mar. Otra sorpresa para los madrileños: Can Ruti no está en la ciudad, sino en medio del campo, aislado, en lo alto de una montaña. El camino que conduce hasta allí ofrece una vista espléndida, con unos **pinares** que a Tere le recuerdan la Vinuesa soriana.

– ¡Esto es precioso! –exclama.

– No nos podemos quejar –dice Lluís–. Aquí se trabaja muy a gusto, no estamos tan **estresados** como los del Valle de Hebrón, ¿verdad, Joan?

– **¡Cierto!**

– Ni como los del Gregorio Marañón –añade Gonzalo.

– **¡Y que lo digas!** –admite Tere.

– Por eso, hay muchos médicos que prefieren trabajar aquí, en vez de ir a centros más prestigiosos.

– Yo, si Gonzalo me autoriza, pido el traslado, **en menos que canta un gallo**. Bueno, tengo que aclarar que Gonzalo es el jefe del servicio de Psiquiatría de nuestro hospital.

– ¡Humm!, tengo que pensármelo –dice con diplomacia; y luego añade, con ironía: –Lo que ocurre es

lazos afectivos: vínculos, relaciones sentimentales.

podem parlar català: (en catalán) podemos hablar catalán.

només una miqueta: (en catalán) solo un poquito.

está a punto de empezar: va a empezar inmediatamente.

que a Tere la unen **lazos afectivos** muy fuertes con Cataluña, incluso habla catalán.

– ¡Exageras! Lo entiendo, sí, pero no lo hablo...

Joan y Lluís se alegran mucho al enterarse de que Tere conoce su idioma.

– Ah, estupendo. O sea, que *podem parlar català* –dice Lluís.

– *Només una miqueta* –responde Tere.

9:55. Llegada a Can Ruti. Sin demora, se dirigen a la sala de conferencias, porque el congreso **está a punto de empezar**. Los asistentes, muy numerosos, ya están sentados, y Tere y sus compañeros tienen dificultades para encontrar asientos libres. Por suerte, una doctora le hace una seña a Lluís, de que hay cuatro asientos reservados para ellos.

Delante, sobre una tarima, está la mesa de los conferenciantes, ocupada por tres personas: en el centro está el doctor Díez, jefe del servicio psiquiátrico de Can Ruti, a su derecha, el doctor Carbonell, presidente de la Asociación Catalana de Psiquiatría, y a su izquierda, el decano de la Facultad de Medicina de la Universidad de Barcelona.

castellano: el idioma español; en las zonas donde coexiste con otras lenguas (catalán, gallego y vasco), se prefiere utilizar este término; en las restantes zonas se emplea indistintamente el castellano y español.
calurosamente: con entusiasmo.
turno: espacio de tiempo dedicado a algo.

El doctor Díez toma la palabra, por espacio de quince minutos, para inaugurar el I Congreso sobre la Anorexia en la Adolescencia. También agradece la asistencia de especialistas de toda España, justificando así el uso del **castellano** en la mayoría de las ponencias. El doctor Díez es una persona agradable y cordial, y al final de su intervención todos los congresistas lo aplauden **calurosamente**. A continuación, hablan los doctores Carbonell y Jordana y, hacia las 11, se inicia el **turno** de los ponentes de la mañana.

comer: en España se suele comer entre las dos de la tarde y las tres y media.

sobrehumano: extraordinario.
madrugón: levantarse muy temprano.
cabezadas: movimiento de la cabeza, que hace el que dormita.
siesta: dormir después de comer.
suplicio: tormento, tortura.

botones: persona que lleva las maletas en los hoteles.

a descansar: fórmula imperativa, equivalente a "descansad".

A las dos de la tarde hay un descanso de dos horas para **comer**, y todos se dirigen hacia el bar-restaurante del hospital. Tere, Gonzalo, Lluís y Joan se sientan juntos y charlan animadamente durante toda la comida. Cuando se reanuda la sesión, los madrileños tienen que hacer un esfuerzo **sobrehumano** para mantenerse despiertos, después del **madrugón**. Tere lo consigue, pero Gonzalo no puede evitar algunas **cabezadas**. Pero no importa, porque está sentado en los asientos del fondo y nadie advierte su **siesta**. *¡Y todavía cuatro horas más! ¡Qué **suplicio**!*, piensa al despertarse.

A las ocho finaliza la sesión del primer día, y, nuevamente, Joan se presta a hacer de chófer, para llevar a Tere, a Gonzalo y a Lluís a Barcelona.

Cuando el coche entra en la Ciudad Condal, rodea la Plaza de las Glorias, sigue por la Gran Vía de las Cortes Catalanas y, al llegar a la calle de la Marina, gira a la derecha hasta coger la Diagonal; de ahí se desvía a la izquierda para seguir por Mallorca, y por fin se detiene frente al Hotel Alexandra.

Tanto Tere como Gonzalo llevan muy poco equipaje: apenas una pequeña maleta cada uno, con lo imprescindible para tres días. Poco esfuerzo para el **botones** que, en el vestíbulo del hotel, recoge las maletas, al tiempo que se dispone a guiar a sus dueños hasta sus respectivas habitaciones.

Joan y Lluís se despiden hasta el día siguiente.

– Mañana os recojo yo, aquí mismo –dice Lluís señalando el vestíbulo. –¿Os parece bien a las nueve?

– Muy bien –dicen, a la vez, los madrileños.

– Y ahora, a **descansar**, que mañana es el gran día de Tere.

bautismo de fuego: entrar por primera vez en combate.
menos cachondeo: equivale a: no me tomes el pelo o no te burles de mí.

¡qué va!: fórmula de negación.

recado: mensaje.

cortada: sin saber qué decir.

perchas: piezas para colgar la ropa.
escasa: poca.
hilo musical: programas de radio que se pueden escuchar de forma ambiental en oficinas, hoteles, etc.
qué más da: no importa.
febril: con fiebre; aquí, muy intenso.

– Mañana es su **bautismo de fuego** –añade Gonzalo.

– **Menos cachondeo**, por favor –dice ella–. Además, mi ponencia no tiene ningún interés. La tuya, en cambio, Lluís... Es el sábado, ¿no?

– Sí.

– ...sobre la estrategia farmacológica contra la anorexia; esto tuyo me parece mucho más interesante.

– **¡Qué va!** La tuya sí que...

Gonzalo bosteza de sueño, de cansancio o de aburrimiento, y dice:

– ¿Por qué no lo discutís mañana?

– Eso mismo pienso yo –apunta Joan.

– Bueno, pues hasta mañana a las nueve –dice Lluís.

– Hasta mañana –dicen los demás.

Luego, ya en su habitación, Tere coge el auricular y marca el número de Juanjo. Cuando suena el teléfono, se oye la voz del contestador automático: *Ésta es la casa de Juan José López Garriga. Por favor, deje su recado al oír la señal.* Tere odia el contestador automático, porque siempre se queda **cortada**, sin saber qué decir. Pero esta vez hace un esfuerzo: *Juanjo, soy Tere. Ya estoy aquí. Mañana te llamo. Un beso. Hasta luego.*

Acto seguido, deshace la maleta, distribuyendo entre las **perchas** y los cajones del armario su **escasa** ropa. Después, toma una ducha que la deja muy relajada, y se acuesta, con el **hilo musical** encendido, escuchando una sinfonía de Haydn o de Mozart, **qué más da**. Y tarda mucho en dormirse, porque, como de costumbre, su cabeza, infatigable, mantiene una actividad **febril**.

* * * * *

Viernes, 22 de septiembre.

8:55. Con puntualidad catalana, Lluís espera en el vestíbulo. En sus manos, *La Vanguardia*, que ojea con curiosidad, por si hay alguna información sobre el congreso. Pues sí; en la página de Salud, puede leer el siguiente titular: "Psiquiatras de toda España debaten en Can Ruti sobre la anorexia". *No está mal. Nos dedican una página entera*, piensa Lluís. En efecto, toda la página está dedicada a comentar las **incidencias** de la primera **jornada**, poniendo especial énfasis en la excelente labor de los organizadores y en el alto nivel de las conferencias.

Mientras lee, Lluís, de vez en cuando, levanta la vista del periódico, con cierta preocupación, para confirmar que no es verdad el tópico de la impuntualidad madrileña y que Tere y Gonzalo van a aparecer **de un momento a otro**.

La primera en llegar es la chica. Tere está guapísima, con falda y chaqueta de color gris claro, blusa blanca y zapatos de medio tacón. Viste de manera clásica, con absoluta sencillez. Su único adorno es una discreta **gargantilla** de oro. Lluís se incorpora del sillón y le da dos besos.

– Hola, Lluís.

– Hola, Tere. ¿Qué tal? ¿**En forma**?

– Más o menos. Un **poquitín** nerviosa.

– ¿Qué? ¿Es la primera vez que hablas en público?

– Pues sí.

La Vanguardia: periódico fundado en 1881, de ideología liberal y vinculado a la burguesía catalana; es el quinto periódico más vendido de España.

incidencias: cosas que pasan, sucesos.
jornada: día.

de un momento a otro: pronto.

gargantilla: collar ajustado al cuello.

en forma: en buenas condiciones físicas.
poquitín: diminutivo de poco.

¡Dios te oiga!: expresión de deseo, como ojalá.

– Tranquila, que todo va a salir bien.

– ¡**Dios te oiga**! Por cierto, Gonzalo está acabando de desayunar y viene en seguida.

– No importa. Hoy no tenemos prisa.

– ¿Cómo que no?

– Mujer, tú inauguras la sesión de hoy. Así, si nos retrasamos, los demás van a tener que esperarnos. Y la gente es comprensiva. Va a decir: *Bueno, ya se sabe, es madrileña...*

Tere, que, con lo nerviosa que está, no tiene humor para bromas, sonríe por educación y dice:

– Pues a mí no me gusta hacer esperar a la gente.

Entonces, Lluís le muestra el periódico.

– Mira. Aquí hablan de nosotros.

¡anda!: exclamación. que expresa sorpresa.
¡qué ilusión!: manifestación de alegría.

– ¡**Anda**! , es verdad. ¡**Qué ilusión**!

Cinco minutos más tarde, aparece Gonzalo, disculpándose por el retraso:

– Perdona, chico. Pero es que este pan con tomate vuestro...

pa amb tomàquet: (en catalán) una rebanada de pan untada con tomate y aceite.
temblando como un flan: con mucho miedo.

– Se dice ***pa amb tomàquet*** –corrige Tere.

– Pues eso, que está buenísimo.

Y los tres se marchan hacia Can Ruti: Tere, **temblando como un flan**; Lluís, satisfecho por lo del periódico, y Gonzalo, contentísimo con la cocina catalana.

* * * * *

21:00. Lluís deja a los madrileños en el Alexandra. Como contrapartida a las atenciones que tiene con ellos, Gonzalo lo invita a cenar en el restaurante del hotel y, luego, a tomar una copa en el bar. Los hombres beben whisky y la chica, una copa de vino blanco seco. Pronto, con bostezos y los párpados caídos, Gonzalo da señales visibles de luchar contra el sueño, y Lluís, por educación, y contra sus más íntimos deseos –porque quiere seguir hablando con Tere–, dice:

– Bueno, yo ya me marcho.

– De eso, nada. Soy yo el que se va. Me vais a disculpar, pero yo ya no estoy **para estos trotes**. Pero vosotros, quedaos, por favor, que la noche es joven.

Al oír esto, a Lluís se le ocurre una luminosa idea:

– Tú, Tere, que veraneas en Sitges, seguro que conoces el **Cau Ferrat**.

– Por supuesto.

– Pero ¿a que no conoces "**Els Quatre Gats**", el punto de encuentro de Santiago Rusiñol y los **modernistas** catalanes?

– Pues no. ¿Pero dónde está? ¿En Sitges?

– No. Está aquí mismo, a diez minutos a pie. ¿Qué, te animas?

– De acuerdo. Pero antes tengo que hacer una llamada.

Al cabo de pocos minutos, los dos bajan por el Paseo de Gracia hasta la Plaza de Cataluña, y de ahí, a la Puerta del Ángel, de donde se desvían a la izquierda para seguir por una **callejuela**, Montsió. Allí se encuentra la célebre cafetería.

acogedor: agradable, cálido.

A Teresa "Els Quatre Gats" le parece un sitio sumamente **acogedor**, con una atmósfera que evoca la época de esplendor del Modernismo catalán a finales del siglo XIX y principios del XX.

Un hombre interpreta al piano melodías románticas; mientras tanto, un gato se pasea por las mesas, despertando la simpatía de los clientes, hasta detenerse frente a la de Tere y Lluís.

– Ven, ven aquí –dice ella.

El gato se acerca y Tere lo acaricia. Lluís siente envidia de la suerte del animal, acariciado por unas manos tan suaves y tiernas.

vino del Priorato: vino catalán de la comarca del mismo nombre, en Tarragona.

Entonces, llega el camarero y deposita sobre la mesa la bandeja, con una botella de **vino** tinto **del Priorato** y dos copas. Primero, le sirve una pequeña medida a Lluís, que lo prueba e inclina la cabeza con un gesto de aprobación. Luego, llena ambas copas.

– Bueno, ¡un brindis por el éxito de tu ponencia! –dice Lluís elevando su copa.

– No es para tanto –dice ella–. Pero también podemos brindar por el éxito de la tuya, mañana.

aparcar: (coloquial) abandonar.

– Vale. Pero ahora, si te parece, **aparcamos** el tema del trabajo.

regazo: parte entre la cintura y las rodillas, cuando la mujer está sentada.

El gato se acomoda sobre el **regazo** de Tere. Lluís está loco de celos, pero, claro, no dice nada.

– A mí me encantan los gatos. ¿Y a ti, Lluís?

hombre: exclamación usada en la conversación, aunque el interlocutor sea una mujer.

santa: aquí, adjetivo utilizado para dar énfasis.

como Pedro por su casa: a sus anchas.

– **Hombre**, francamente, prefiero los perros. Los gatos no respetan nada; son egoístas y siempre quieren hacer su **santa** voluntad. Fíjate en éste, por ejemplo; aquí, **como Pedro por su casa**, invadiendo nuestro territorio.

hostiles: enemigas.

– ¡Pobrecito mío! –exclama Tere, al tiempo que acaricia intensamente al felino, como para compensarlo de las **hostiles** palabras de su amigo.

Éste se da cuenta de que, en la lucha contra el gato, lleva las de perder, y decide cambiar de tema.

– Tere, ¿por qué no me hablas de ti y de tu vida?

Ella se ruboriza.

– Mi vida no tiene ningún interés especial. De casa al hospital y del hospital a casa.

Lluís la observa sin interrumpirla. Es un hombre cuya profesión consiste en escuchar a los demás, y que intenta aplicar esta cualidad a su vida privada. A Lluís le encanta hablar, pero también sabe guardar silencio. Ella continúa hablando.

– Entiéndeme: no me quejo; yo no cambio esta vida por nada del mundo. Sólo que...

– Adelante. Conmigo puedes ser franca.

clavada: fija en un punto.

El vino, la música, la fatiga de una jornada intensa o la mirada de Lluís **clavada** en la suya hacen su efecto, porque a Tere los ojos se le llenan de lágrimas.

– A veces, me siento vacía.

diestra: mano derecha.

Lluís le coge la mano derecha, la más próxima a él, la mano libre, mientras Tere sigue acariciando al gato con la mano izquierda. Ella la retira un poco; pero él no se da por vencido, y la aprieta con fuerza con su **diestra**, y ella no puede o no quiere liberarla. Entonces, Lluís mira sus ojos húmedos y le dice:

– No voy a hacerte la tópica pregunta: ¿hay otro? Sé que lo hay. Pero también sé que ese alguien no está del todo, y quizá nunca va a estar, y tú lo sabes muy bien.

empañar: mojar.

A Tere se le **empañan** aún más los ojos. Y con la mano izquierda coge un pañuelo del bolsillo de la chaqueta y se seca las lágrimas.

– Es tarde –dice, y Lluís hace una seña al camarero para pagar la cuenta.

lanzado: decidido.

ceder: abandonar la resistencia.

Ahora ya están en la calle, de vuelta al hotel. El aire fresco de la madrugada tranquiliza a la chica, a quien Lluís tiene cogida del brazo. No dicen ni una sola palabra hasta llegar al hotel. Esta vez, no se despiden con dos besos, porque Lluís, que está **lanzado**, busca con sus labios los de Tere, que, al principio, se resiste, pero acaba **cediendo**.

III

Varsovia. Lunes 25 de septiembre.

13:40. Antes de comer, reviso el correo electrónico. Me envían un correo desde España. Lo abro. Está firmado por **un tal** Juan José López, cuya identidad desconozco. Al leerlo, **me quedo de piedra:**

Pablo:

Ésta me la pagas. *Conmigo no se juega. Soy un buen abogado, el mejor, y te voy a destruir: a ti y a ella.*

Juanjo.

Yo estoy desconcertado. ¿Quién es ella? Y, poco a poco, creo descubrir **por dónde van los tiros**. Así, telefoneo al Gregorio Marañón, para hablar con Tere. Por fuerza, ella tiene que saber lo que pasa.

Tere, que acaba de llegar de Barcelona, está **radiante**. Primero, me dice que tiene una oferta para trabajar en Can Ruti. Luego, me habla de la ruptura

un tal: se utiliza para dar un nombre del que no sabemos nada.
quedarse de piedra: estar sorprendido.

ésta me la pagas: expresión de amenaza.

por dónde van los tiros: (expresión coloquial) orientación de la solución a un problema o duda.
radiante: muy contento y feliz.

del noviazgo con Juanjo, el sábado por la tarde, y del inicio de relaciones con Lluís.

– Es un chico estupendo. No es tan guapo como Juanjo, pero no me importa. ¿Y sabes una cosa, Pablo? Gracias a él, ya tengo el remedio para curar a esa paciente mía... Ya sabes a quién me refiero, ¿no?

enhorabuena: felicitación por algún suceso afortunado.

– Sí, sí... ¡**Enhorabuena**, Tere! Me alegro mucho de tus éxitos sentimentales y profesionales. Pero, mira: tenemos un problema bastante grave, tú y yo.

poner al corriente: informar.

Y la **pongo al corriente** de las novedades: que Juanjo, furioso conmigo por ser el creador de su psicología, nos amenaza a ella y a mí.

disparate: comentario absurdo.
rencor: odio, enemistad.
acusar: culpar a alguien de un delito.
irritado: enfadado.
ciega: que no ve.

– ¿A mí, dices? ¡Qué **disparate**! Juanjo es una persona maravillosa, que no me guarda **rencor** ni me **acusa** de nada.

Yo la interrumpo, **irritado**.

– Tere, estás **ciega**. Esa persona maravillosa que tú dices es un paranoico, un tipo peligrosísimo. Entiéndelo de una vez por todas: tú y yo estamos en peligro.

fenomenal: excelente, extraordinario.

tío legal: (coloquial) hombre de quien uno se puede fiar.
mira por dónde: expresión de sorpresa.
caso clínico: loco.

– Perdona –me dice ella, furiosa–, pero aquí la psiquiatra soy yo, y te digo que Juanjo no es ningún paranoico. Es un tipo **fenomenal**, comprensivo e inteligente. De acuerdo: tiene sus defectos, como todo el mundo, pero es un **tío legal**, y tú no tienes ningún derecho a insultarlo. **Mira por dónde**, estoy empezando a creer que eres tú el **caso clínico**.

vengativo: que busca venganza.
atroz: terrible.

Y me cuelga el teléfono, cosa impropia de Tere, siempre tan educada. Entonces, me pregunto quién puede ser esa ella a la que se refiere el **vengativo** abogado. La respuesta llega inmediatamente y es **atroz**:

de modo que: de
manera que, así que.

venganza: represa-
lia, revancha.

ella no puede ser otra que mi novia, Marta, tan responsable como yo en la creación de la personalidad de Juanjo. **De modo que** la llamo por teléfono para advertirla del peligro que corre...

Que corre. Porque, tal vez en estos mismos instantes, un abogado acostumbrado a ganar va corriendo hacia Montgat, mientras planea una brillante y diabólica **venganza**.

EXPLOTACIÓN DIDÁCTICA
EJERCICIOS PARA EL ALUMNO

Lecturas de Español es una colección de historias breves especialmente pensadas para los estudiantes de español como lengua extranjera. Los cuentos han sido escritos, teniendo en cuenta, básica pero no únicamente, una progresión gramático-funcional secuenciada en seis etapas, de las cuales las dos primeras corresponderían a un nivel inicial de aprendizaje, las dos segundas a un nivel intermedio, y las dos últimas al nivel superior. Como resultado de la mencionada secuenciación, el estudiante puede tener contacto con textos escritos "complejos" ya desde los primeros momentos del aprendizaje y puede hacer un seguimiento más puntual de sus progresos.

Las aportaciones didácticas de ***Lecturas de Español*** son fundamentalmente dos:

- notas léxicas y culturales al margen, que permiten al alumno acceder, de forma inmediata, a la información necesaria para una comprensión más exacta del texto.

- explotaciones didácticas amplias y variadas que no se limiten a un aprovechamiento meramente instrumental del texto, sino que vayan más allá de los clásicos ejercicios de "comprensión lectora", y que permitan ejercitar tanto otras destrezas como también cuestiones puntuales de gramática y léxico. El tipo de ejercicios que aparecen en las explotaciones permite asimismo llevar este material al aula ampliando, de esa manera, el número de materiales complementarios que el profesor puede incorporar a a sus clases.

Con respecto a los autores, hemos querido contar con narradores capaces de elaborar historias atractivas, pero que además sean —condición casi indispensable— expertos profesores de E/LE, para que estén más sensibilizados con el tipo de problemas con que se enfrenta un estudiante de español como lengua extranjera.

Las narraciones, que no se inscriben dentro de un mismo "género literario", nunca **son** adaptaciones de obras, sino **originales** creados *ex profeso* para el fin que persiguen, y en ellas se ha intentado conjugar tanto amenidad como valor didáctico, todo ello teniendo siempre presente al lector, una persona joven o adulta con intereses variados.

PRIMERA PARTE
Comprensión lectora

I. Completa el siguiente cuadro sobre los personajes de la novela.

	Juanjo	Tere	Lluís	Gonzalo	Joan
Provincia					
Profesión					
Lugar de trabajo					
Estado civil					
Edad					

Provincias: Madrid, Soria, Barcelona.
Profesión: Psiquiatra, abogado, jefe de psiquiatría.
Lugar de trabajo: Hospital Vall d'Hebron, Bufete en la c/ Balmes (Barcelona), Hospital Germans Trias i Pujol, Hospital Gregorio Marañón.
Estado Civil: Casado, soltero, viudo, separado, desconocido.
Edad: 35, 29, desconocida.

II. Contesta verdadero o falso.

1. Juanjo trabaja en El Masnou.
      ☐ Verdadero   ☐ Falso

2. Tere confía en ser famosa algún día.
      ☐ Verdadero   ☐ Falso

3. La especialidad de Tere es muy difícil.
      ☐ Verdadero   ☐ Falso

4. Almudena tiene guardia el sábado.
    ❏ Verdadero   ❏ Falso

5. Gonzalo le dice a Tere que pague ella el café.
    ❏ Verdadero   ❏ Falso

6. A Juanjo le gusta el correo electrónico.
    ❏ Verdadero   ❏ Falso

7. Tere está leyendo *La Tabla de Flandes*, de Pérez Reverte.
    ❏ Verdadero   ❏ Falso

8. Juanjo y Tere se conocieron en una boda.
    ❏ Verdadero   ❏ Falso

9. En Cataluña los chalés se llaman torres.
    ❏ Verdadero   ❏ Falso

10. El signo del Zodiaco de Juanjo es Piscis.
    ❏ Verdadero   ❏ Falso

11. La hermana de Tere se llama Sonsoles y vive con ella.
    ❏ Verdadero   ❏ Falso

12. Juanjo llamó a Tere varias semanas después de la boda.
    ❏ Verdadero   ❏ Falso

13. Los andaluces exageran mucho al hablar.
    ❏ Verdadero   ❏ Falso

14. Can Ruti es el nombre popular del Hospital Vall d'Hebron.
    ❏ Verdadero   ❏ Falso

15. Tere lleva mucho equipaje.
    ❏ Verdadero   ❏ Falso

16. La ponencia de Tere es su primera oportunidad de hablar en público.
    ❏ Verdadero   ❏ Falso

17. El pan con tomate es típico de Madrid.
    ❏ Verdadero   ❏ Falso

18. La ponencia de Tere fue un éxito.
    ❏ Verdadero   ❏ Falso

19. Pablo es el autor de la historia y uno de sus personajes quiere vengarse de él.

❑ Verdadero ❑ Falso

III. Los textos siguientes han sido alterados: las palabras y expresiones subrayadas están sustituyendo a las empleadas verdaderamente en la novela. Intenta recordar el mayor número posible de ellas y ponerlas en su sitio; si no puedes completarlas, acude a la página para comprobarlas.

a. – *La oferta es _animadora_. Pero no sé: tengo que _pensar si tengo planes_.*

– *Desde luego, chica, quedar contigo es más difícil que pedir una cita con el Rey.*

b. – *_Ni hablar, mentiroso_, que pareces _de una región del Sur_, más que catalán –digo, riendo. (pg. 25)*

c. *Por lo que respecta a los colegas catalanes, Joan parece más bien tímido y callado, mientras que Lluís se siente _muy cómodo_ en su papel de _invitador_, y _charla mucho_, _fácilmente_ y con simpatía, sin hacerse _molesto_. (pg. 32)*

– *Sí, sí... ¡_Felicidades_, Tere! Me alegro mucho de tus éxitos sentimentales y profesionales. Pero mira: tenemos un problema bastante grave tú y yo.*

Y la _informo_ de las novedades: que Juanjo, furioso conmigo por ser el creador de su psicología, nos amenaza a ella y a mí.

– *¿A mí, dices? ¡Qué _tontería_! Juanjo es una persona maravillosa, que no me _odia_ ni me _culpa_ de nada. (pg. 45)*

SEGUNDA PARTE
Gramática y notas

I. **La narración que acabas de leer tiene lugar en el mundo del trabajo, con los problemas y relaciones que se dan en él. A continuación tienes una serie de palabras que se han utilizado y anotado en la historia. Vamos a ver si eres capaz de utilizarlas correctamente. En el siguiente texto debes cambiar cada palabra o expresión subrayada por una de las de la lista.**

• en paro	• despido	• quiebra
• ejecutivo	• suspensión	• oposiciones
• facultativo	de pagos	• no dar golpe
• bufete	• currar	• compatibilizar
• tener guardia	• traslado	

Alfredo está un poco deprimido últimamente. Su empresa declaró su <u>ruina</u> y tuvo que empezar un <u>proceso legal para no pagar a sus proveedores y trabajadores</u>. Así que Alfredo, a quien le encantaba <u>trabajar</u>, –aunque a veces tenía <u>horario nocturno</u>– está <u>sin trabajo</u>. Él, tan laborioso, se pasa ahora todo el día <u>sin hacer nada</u>, y no puede acostumbrarse. Un <u>médico</u> amigo suyo le ha animado a hacer un <u>examen para el Estado</u>, con lo que no va a tener que preocuparse más de ser <u>expulsado</u> del trabajo. Alfredo lo está pensando cuando recibe la llamada de un <u>despacho</u> de abogados que le ofrece un buen puesto, no de <u>directivo</u>, pero suficientemente bueno. Lo más atractivo es que Alfredo podrá vivir en una ciudad con mar, pues le van a dar la posibilidad de pedir un <u>cambio</u>. Además, puede <u>combinar</u> su trabajo con sus aficiones favoritas: leer, ir al cine y, sobre todo, navegar.

II. **Uno de los aspectos más importantes de la novela es el lenguaje cotidiano entre personas normales. Si te has fijado bien, no tendrás problemas en contestar con las expresiones de la derecha a las afirmaciones de la izquierda.**

1. Si tenemos suerte, este partido lo ganamos.
2. Yo creo que Colón descubrió América en el año 1789.
3. Pues cuando estuve en África maté tres elefantes.
4. Hoy es mi cumpleaños.
5. Justo cuando mi coche iba a chocar con la farola, pude controlarlo y no me pasó nada.
6. Ayer iba por la calle y vi a Antonio Banderas paseando.
7. Tengo un regalo para ti.

a. -¡Anda!
b. -¡Menos mal!
c. -¡Qué disparate!
d. -¡Qué ilusión!
e. -¡Dios te oiga!
f. -¡Felicidades!
g. -¡Anda ya!

III. Una de las características básicas del español es la riqueza de términos: siempre hay muchas opciones para expresar una idea. Vamos a comprobarlo. En la novela has podido observar varias formas para afirmar o negar. En la siguiente lista caótica puedes encontrar muchas formas para decir SÍ o NO, y sólo tienes que dejarlas caer en su casilla correspondiente.

- Ni hablar
- En absoluto
- Desde luego
- Absolutamente
- Cierto
- Qué va
- Naturalmente
- Para nada
- Por supuesto
- Ni pensarlo
- Sin duda
- Vale
- Nada de eso
- Claro
- Eso es
- De ningún modo
- En efecto
- Ni mucho menos
- Ya lo creo

SÍ	NO

IV. Ahora vas a hacer de traductor. Este español va a contarte una pequeña historia, pero está empeñado en usar muchísimos modismos, y tu amigo no le entiende bien. Por supuesto, tú no tienes problema, aclara el significado de las expresiones para que tu amigo las entienda.

JUAN: Buf, no vais a creer lo que me ha pasado esta semana. Es absolutamente increíble, vais a quedaros de piedra.

AMIGO: ¿Piedra? ¿Qué piedra? No entiendo.

TÚ: Dice que ....

JUAN: Pues, como sabéis, trabajo mucho y normalmente el viernes estoy hecho polvo, así que…

AMIGO: ¿Limpias el polvo? Pensaba que eras electricista.

TÚ: No, hombre. "Hecho polvo" significa ....
....

JUAN: Bueno, pues, ésta es la situación: es viernes, y yo acabo de terminar un trabajo muy complicado. Estoy guardando las herramientas en la caja cuando me llama el jefe por teléfono. Lo cojo y me dice que tengo que irme rápidamente al otro lado de la ciudad para reparar una instalación que se ha estropeado. Yo le pregunto que si me está tomando el pelo, que son las siete y media y…

AMIGO: Perdona, pero no entiendo qué has dicho sobre el pelo. ¿Qué tiene que ver tu pelo con la electricidad?

TÚ: Nada, hombre. En español "tomar el pelo" quiere decir
....

JUAN: Así que podéis imaginaros que un viernes, casi a las ocho de la tarde, hecho polvo y con ganas de irme a tomar unas cervezas con los amigos, la cosa no me hace ninguna gracia. El jefe me dice que es un trabajo de poca monta, que está chupado y que sólo con echarle una ojeada lo tendré arreglado.

AMIGO: Pero, ¿qué ha dicho? No entiendo nada de lo último.

TÚ: Son modismos. Dice que el trabajo es ....
....................................., y que también es ....
..................................., y que puede arreglarlo solamente con
....

JUAN: ¿Ya lo has entendido? Pues sigo. Así que allá voy, bastante enfadado, el tráfico es horrible y llego al sitio donde tenía que ir a las ocho y media. Cuando veo el problema, me doy cuenta de que no es fácil, sino horrible: toda la instalación está estropeada. Trabajo desesperado y cuando estoy a punto de darme por vencido...

AMIGO: Otra vez perdón. ¿Dice que estaba en un punto para dar un vencido?

TÚ: No, hombre. También son modismos. Lo que ha dicho es que él trabajó mucho y que no encontraba la solución y que en el momento en que ...., algo pasó.

JUAN: Pasa que encuentro la solución y la corriente circula perfectamente por toda la instalación. Pero son las diez y media, estoy cansadísimo, me siento triste y echo de menos mi casa y mi cama.

AMIGO: ¿Eh?

TÚ: Que .... su casa y su cama.

JUAN: Pero en esa situación, la dueña de la casa, que es una chica muy guapa, me da las gracias por arreglarle la luz de su casa y me dice que si quiero quedarme a cenar con ella. Yo, por supuesto, le digo que sí y ya no voy a abrir la boca.

AMIGO: ¡Qué raro! No vas a poder comer si no abres la boca.

TÚ: Quiere decir que ....· ¡Qué pena! Ya no podemos saber cómo acaba la historia. Aunque podemos imaginárnoslo.

V. Observa las siguientes frases extraídas del texto. En ellas se utilizan algunas palabras y expresiones que sirven para enlazar frases.

– Soy de Barcelona...

– <u>Pues</u> a mí me encanta Barcelona y voy siempre que puedo.

– (...) todos los veranos paso un par de semanas allí.

– (...) <u>o sea</u>, que eres de Madrid, pero no antibarcelonista.

– (...) yo juego con ventaja, porque sé que eres abogado.

– <u>De veras</u>, puedes hablar con total sinceridad.

– En absoluto. Aciertas en todo. Tú, <u>en cambio</u>, eres tímida, introvertida, cariñosa.

– ¿Quedamos manaña? (…) <u>Mejor dicho</u>, hoy.

– Muy bien. <u>Por cierto</u>, ¿en qué hospital trabajas?

– Estupendo. <u>Entonces</u>, hasta el sábado.

– ¿Qué? ¿Es la primera vez que hablas en público?

– Pues sí.

– ¿A que no conoces "Els Quatre Gats" (…)

– Pues no.

A continuación intenta rellenar el siguiente esquema, que reúne só-lo los valores de estas expresiones aparecidos en la novela.

EXPRESIÓN	SIGNIFICADO
	En ese caso, si eso es así
	Voy a expresarme mejor
	1. Sin embargo
	2. [No tiene significado]
	En otras palabras
	En serio
	A propósito, ahora que lo dices
	Por el contrario

Vamos a seguir. Intenta tú mismo utilizar en este ejercicio las expresiones que has visto más arriba.

– Estoy muy enfadada, Juan.

– ¿Y por qué?

– (1) ………………… porque María no me deja sus apuntes para estudiar el examen del lunes, y (2) ………………… no voy a poder estudiarlo, y si suspendo voy a tener que pasarme las vacaciones con los libros en la mano.

– Ya, pero se supone que tú tienes tus propios apuntes, ¿no?

– Bueno, pero es que el fin de semana pasado me pasó una cosa. Verás: resulta que mi novio sólo tiene libres los fines de semana, y (3) .... , sus padres se van al chalet de la sierra los sábados y domingos...

– (4) .... , que los fines de semana los pasas con tu novio en el chalet de sus padres.

– Exactamente. (5) .... , los pasaba, porque si suspendo este examen va a pasar mucho tiempo antes de que vuelva por allí. Bueno, el caso es que este fin de semana se me olvidaron allí mis apuntes. Los había llevado para estudiar, pero entre unas cosas y otras, volví sin ellos.

– Eres un poco torpe, Eva. Casi me alegro de lo que te pasa. (6) .... que te lo mereces.

– (7) .... yo no me alegro. Eres un mal amigo. ¿Qué voy a hacer ahora?

– Creo que puedes hacer muy poco. Puedes suplicar a un mal amigo tuyo que te deje las fotocopias de tus propios apuntes que hizo justamente el viernes.

– ¡Oh, Dios mío! ¡Es verdad! Tú tienes también mis apuntes. Por favor, devuélvemelos o déjame fotocopiarlos.

– (8) .... de dejar algo, tú puedes dejarme el último CD de ese grupo que tú y yo sabemos.

– Oye, guapo, que me lo acabo de comprar.

– ¿No me lo quieres dejar? (9) .... te suspenderán.

– ¡Chantajista!

TERCERA PARTE
Expresión escrita

I. Aquí tienes uno de los correos electrónicos que recibe Juanjo:

Querido Juanjo:

Acabo de desayunar con Almudena y Gonzalo, y ahora estoy más animada para escribirte. Ya sabes que últimamente estoy preocupada por una paciente, pero no quiero hablarte de cosas tristes. Tengo una buena noticia: la semana próxima hay un congreso sobre la anorexia en el Hospital Germans Trias i Pujol de Badalona. Yo tengo una ponencia el viernes, y puedo quedarme en Barcelona hasta el domingo. ¿Qué te parece la idea?

Te echo de menos.
Un beso muy fuerte.
T.

P.D.: Disfruta de tus últimos días de vacaciones. Cómo te envidio: yo aquí currando y tú por ahí sin dar golpe.
Por lo menos, ve a la playa y toma el sol por mí.

Y la respuesta inmediata:

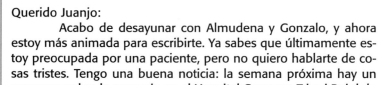

Tere, cariño, estoy loco de contento. ¡Qué sorpresa! Ahora mismo me pongo a programarlo todo. Te prometo un fin de semana a tope, sin descansar ni un minuto. Así que prepárate porque vas a acabar agotadísima. El que avisa no es traidor...

Un besazo. Yo también te echo de menos.
J.

P.D.: Dame más detalles de tu viaje: cuándo llegas, dónde te alojas, cuánto dura el congreso, etc.

Imagina que Teresa ha vuelto a escribir a Juanjo, antes de enviarle el correo en el que le da la información que le pide, pidiéndole o preguntándole algunas cosas y que Juanjo responde. Aquí tienes el lugar para hacerlo:

II. La historia del libro está planteada como una especie de diario de nadie. Pero teniendo en cuenta los días y las horas que aparecen en la historia, tú puedes imaginar qué puede haber escrito en el diario de Juanjo, de Tere y de Lluís en determinado días.

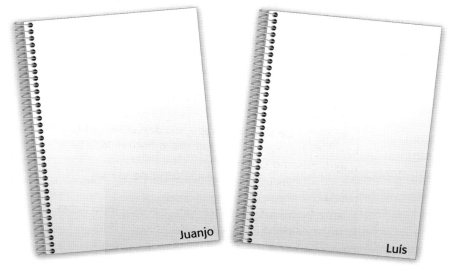

Teresa

III. Al final de la historia, aparece el autor del libro como personaje del libro. Juanjo le escribe una carta.

> *Pablo:*
> *Ésta me la pagas. Conmigo no se juega. Soy un buen abogado, el mejor, y te voy a destruir: a ti y a ella.*
>
> *Juanjo.*

Pablo llama a Tere y tiene una larga conversación telefónica, pero cuando acaba, Tere decide enviarle un correo electrónico para tranquilizarlo, en el que explica básicamente lo que le ha dicho por teléfono.

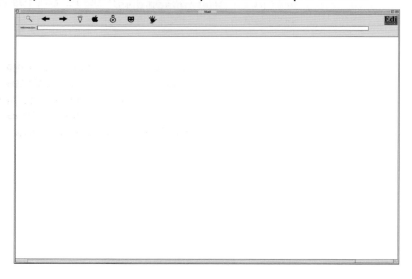

CUARTA PARTE
Expresión oral

I. La acción se desarrolla en Cataluña y en algunos momentos aparecen frases en catalán. ¿Qué opinas de la existencia de más de una lengua oficial en un país? ¿Crees que es un hecho enriquecedor? ¿Por qué? Imagina qué tipos de conflictos puede provocar una situación así. ¿Cómo los solucionarías?

II. ¿Crees que la historia es verosímil? ¿Qué cosas te han sorprendido más y por qué? Coméntalo con tus compañeros.

III. Las relaciones de pareja son un complejo mundo en el que todo parece posible. ¿Crees que está justificado el comportamiento de Teresa? ¿Cómo puedes explicarlo? ¿Qué opinas de Lluís? ¿Qué crees que puede hacer Juanjo? Coméntalo con tus compañeros.

IV. Cuando los miembros de una pareja trabajan en ciudades diferentes pueden aparecer distintos problemas. Comenta con tus compañeros si te parece posible una relación en la distancia. ¿Crees que puede tener futuro? Razona tus argumentos.

SOLUCIONES

Antes de empezar a leer

1. **d**
2. 631 Km; 504.750 Km^2.
3. **Cataluña:** catalán. **País Vasco:** vasco. **Galicia:** gallego.

Comprensión lectora

I. **Juanjo:** Barcelona; abogado; Bufete en la calle Balmes (Barcelona); soltero; 35 años.
Tere: Soria; psiquiatra; Hospital Gregorio Marañón (Madrid); soltera; 29 años.
Lluís: Barcelona; psiquiatra; Hospital Germans Trias y Pujol; soltero; edad desconocida.
Gonzalo: Madrid; jefe del servicio de psiquiatría Hospital Gregorio Marañón (Madrid); estado civil desconocido; edad desconocida.
Joan: Barcelona; psiquiatra; Hospital Vall d'Hebron; casado; edad desconocida.

II. **1.** falso; **2.** falso; **3.** verdadero; **4.** verdadero; **5.** falso; **6.** falso; **7.** falso; **8.** verdadero; **9.** verdadero; **10.** falso; **11.** verdadero; **12.** verdadero; **13.** verdadero; **14.** falso; **15.** falso; **16.** verdadero; **17.** falso; **18.** verdadero; **19.** verdadero.

III. a.   tentadora; consultar mi agenda; concertar una audiencia; anda ya, exagerado; andaluz.

c.   ¡Enhorabuena!; pongo al corriente; ¡qué disparate!; guarda rencor; acusa.

Gramática y notas

I. Alfredo está un poco deprimido últimamente. Su empresa declaró su <u>quiebra</u> y tuvo que empezar <u>una suspensión de pagos</u>. Así que Alfredo, a quien le encantaba <u>currar</u>, –aunque a veces tenía <u>guardia</u>– está <u>en paro</u>. Él, tan laborioso, se pasa ahora todo el día <u>sin dar ni golpe</u>, y no puede acostumbrarse. Un <u>facultativo</u> amigo suyo le ha animado a hacer una <u>oposición</u>, con lo que no va a tener que preocuparse más de ser <u>despedido</u> del trabajo. Alfredo lo está pensando cuando recibe la llamada de un <u>bufete</u> de abogados que le ofrece un buen puesto, no de <u>ejecutivo</u>, pero suficientemente bueno. Lo más atractivo es que Alfredo podrá vivir en una ciudad con mar, pues le van a dar la posibilidad de pedir un <u>traslado</u>. Además, puede <u>compatibilizar</u> su trabajo con sus aficiones favoritas: leer, ir al cine y, sobre todo, navegar.

II. 1. e; **2.** c; **3.** g; **4.** f; **5.** b; **6.** a; **7.** d.

III. Sí: Desde luego, absolutamente, cierto, naturalmente, por supuesto, sin duda, vale, claro, eso es, en efecto, ya lo creo.

No: Ni hablar, en absoluto, qué va, para nada, ni pensarlo, nada de eso, de ningún modo, ni mucho menos.

IV. Te vas a quedar absolutamente sorprendido; estar muy cansado; hacerle una broma a alguien/reírse de alguien; poco importante; muy fácil; dedicarle muy poca atención/sin hacer mucho esfuerzo/rápidamente; iba a abandonar/iba a rendirme; piensa en/tiene nostalgia de; no piensa seguir contando nada más.

V.

Entonces	En ese caso, si eso es así
Mejor dicho	Voy a expresarme mejor
Pues	3) Sin embargo
	4) [No tiene significado]
O sea	En otras palabras
De veras	En serio
Por cierto	A propósito, ahora que lo dices
En cambio	Por el contrario

1. pues; **2.** entonces; **3.** en cambio **4.** o sea; **5.** mejor dicho; **6.** de veras; **7.** pues; **8.** a propósito; **9.** pues.

TÍTULOS DISPONIBLES

LECTURAS GRADUADAS

I-I **Muerte entre muñecos**
Julio Ruiz
ISBN: 84-89756-70-8

I-I **Memorias de septiembre**
Susana Grande
ISBN: 84-89756-86-4

I-I **La biblioteca**
Isabel Marijuán Adrián
ISBN: 84-89756-23-6

I-I **Azahar**
Jorge Gironés Morcillo
ISBN: 84-89756-39-2

I-II **Llegó tarde a la cita**
Víctor Benítez Canfranc
ISBN: 84-95986-07-8

I-II **En agosto del 77 nacías tú**
Pedro García García
ISBN: 84-95986-65-5

I-II **Destino a Bogotá**
Jan Peter Nauta
ISBN: 84-95986-89-2

E-I **Amnesia**
José L. Ocasar
ISBN: 84-85789-89-X

E-II **Paisaje de otoño**
Ana M.ª Carretero
ISBN: 84-89756-83-X

E-II **El ascensor**
Ana Isabel Blanco
ISBN: 84-89756-24-4

E-I **Historia de una distancia**
Pablo Daniel González-Cremona
ISBN: 84-89756-38-4

E-I **La peña**
José Carlos Ortega Moreno
ISBN: 84-95986-05-1

E-II **Manuela**
Eva García y Flavia Puppo
ISBN: 84-95986-64-7

E-I **Carnaval**
Ramón Fernández Numen
ISBN: 84-95986-91-4

I-II **Las aventuras de Tron**
Francisco Casquero Pérez
ISBN: 84-95986-87-6

S-I **Los labios de Bárbara**
David Carrión
ISBN: 84-85789-91-1

S-II **Una música tan triste**
José L. Ocasar
ISBN: 84-89756-88-0

S-I **El encuentro**
Iñaki Tarrés Chamorro
ISBN: 84-89756-25-2

S-I **La cucaracha**
Raquel Romero Guillemas
ISBN: 84-89756-40-6

S-I **Mimos en Madrid**
Alicia San Mateo Valdehíta
ISBN: 84-95986-06-X

S-II **La última novela**
Abel A. Murcia Soriano
ISBN: 84-95986-66-3

S-I **A los muertos no les gusta la fotografía**
Manuel Rebollar
ISBN: 84-95986-88-4

HISTORIAS DE HISPANOAMÉRICA

E-II **Regreso a las raíces**
Luz Janeth Ospina
ISBN: 84-95986-93-0

E-II **Con amor y con palabras**
Pedro Rodríguez Valladares
ISBN: 84-95986-95-7

HISTORIAS PARA LEER Y ESCUCHAR (INCLUYE CD)

E-II **Manuela**
Eva García y Flavia Puppo
ISBN: 84-95986-58-2

I-II **En agosto del 77 nacías tu**
Pedro García García
ISBN: 84-95986-59-0

S-II **La última novela**
Abel A. Murcia Soriano
ISBN: 84-95986-60-4

E-I **Carnaval**
Ramón Fernández Numen
ISBN: 84-95986-92-2

I-II **Destino a Bogotá**
Jan Peter Nauta
ISBN: 84-95986-90-6

E-II **Regreso a las raíces**
Luz Janeth Ospina
ISBN: 84-95986-94-9

E-II **Con amor y con palabras**
Pedro Rodríguez Valladares
ISBN: 84-95986-96-5

Niveles:

E-I ➡ Elemental I	I-I ➡ Intermedio I	S-I ➡ Superior I
E-II ➡ Elemental II	I-II ➡ Intermedio II	S-II ➡ Superior II